U0064410

劉福春·李怡 主編

# 民國文學珍稀文獻集成

第四輯

## 新詩舊集影印叢編　第158冊

【錢杏邨卷】

## 暴風雨的前夜

上海：泰東圖書局 1928 年 7 月出版

錢杏邨 著

## 餓人與饑鷹

上海：現代書局 1928 年 9 月 1 日出版

錢杏邨 著

## 荒土

上海：泰東圖書局 1929 年 1 月出版，1929 年 4 月再版

錢杏邨 著

花木蘭文化事業有限公司

國家圖書館出版品預行編目資料

暴風雨的前夜／餓人與饑鷹／荒土 錢杏邨 著 -- 初版 -- 新北市：
花木蘭文化事業有限公司，2023〔民112〕
72面／86面／96面；19×26公分
（民國文學珍稀文獻集成・第四輯・新詩舊集影印叢編 第158冊）
ISBN 978-626-344-144-6（全套：精裝）
831.8 111021633

ISBN-978-626-344-144-6

9 786263 441446

民國文學珍稀文獻集成・第四輯・新詩舊集影印叢編（121-160冊）
第158冊

# 暴風雨的前夜
# 餓人與饑鷹
# 荒土

著　　者　錢杏邨
主　　編　劉福春、李怡
企　　劃　四川大學中國詩歌研究院
　　　　　四川大學大文學學派
總 編 輯　杜潔祥
副總編輯　楊嘉樂
編輯主任　許郁翎
編　　輯　張雅淋、潘玟靜　美術編輯　陳逸婷
出　　版　花木蘭文化事業有限公司
發 行 人　高小娟
聯絡地址　235 新北市中和區中安街七二號十三樓
　　　　　電話：02-2923-1455／傳真：02-2923-1452
網　　址　http://www.huamulan.tw 信箱 service@huamulans.com
印　　刷　普羅文化出版廣告事業
初　　版　2023年3月
定　　價　第四輯121-160冊（精裝）新台幣100,000元　

# 暴風雨的前夜

錢杏邨 著

錢杏邨（1900～1977），筆名阿英，生於安徽蕪湖。

泰東圖書局（上海）一九二八年七月出版。原書五十開。

錢杏村作
暴風雨的前夜
上海
泰東圖書局印行

錢杏村作

# 暴風雨的前夜

上海
泰東圖書局印行

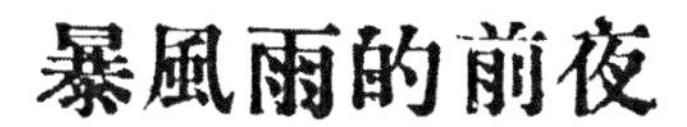


錢杏邨作

# 暴風雨的前夜

"他是個暴徒，
去追求着狂風暴雨；
好似在那裏
有他的安息……"

——契訶夫：三姊妹。

# 暴風雨的前夜　1

這十年來的中國文壇，在小說的創作方面,還可以說有相當的成績.但是在詩的創作方面,那成績就微乎其小了.雖然我們也有了許多新詩集,但這其中好的而可以保留的,實在是很少.這是因爲什麼原故呢?我想，第一是因爲所謂新詩人之流，他們還未脫去舊詩人的根性——以詩爲消遣的，吟風弄月的玩物,而不把詩當作一種重要的工作,因之不過隨便寫寫而已，不去注意內容的偉大和形式的改進．第二是因爲我們的言語文字太缺少詩性了，要想做一首有音韻而自然的，同時又不違背我們言語的好詩來，實在是一件不容易的事情．舊詩因爲有一定的死的韻律和格式，還有記憶的和歌誦的可能；可是我們現在的新詩，不但不能放在口中歌誦．而且連記憶都不容易，這實在是使新詩不能發展的一個很重大的原因．

關於後一層原因，我們無法卽時把牠消滅掉，只得慢慢地走上改進的道路；但是關於第一個原因，我想，我們卽時就有糾正的必要，而且這於詩的發展有很重大的關係．因爲詩人的態度是消閒的，對於社會生活是漠然的，所以不能寫出有什麼偉大的意義的詩來．在這十年來的新詩壇內，我們只可以尋出趣味的小詩，莫名其妙的哲學詩，好哥哥甜妹妹的肉蔴詩……而很少能尋出能够代表時代精神的呼聲.雖然有一二革命詩集的出現,然終不能引起一般讀者們的注意.一般的讀者爲趣味,戀愛所麻醉住了,以爲詩只是美的表現,而不應與革命發生什麼關係——革命與詩是兩不相容的東西.這麼以來,就是有很好的,能够代表時代精神的詩的作品出現,也不能給讀者社會以熱烈的刺激,結果只是沒落不張而已.

時至今日,我們的文壇在開始轉變方向了.因爲受了社會政治環境的影響,無怪作者和讀者,對於文學的觀念,都起了大的變動,所謂革命文學,革命詩,文學應當爲革命服務……這些都似乎成了時代的重要的潮流,沒有人敢公然地反對了,就是有人起來反對,那恐怕他所能得到的回答,只是被唾棄和譏笑而已.這是當然的事情,時代是這樣的需要着，任你誰個有什麼偉大的力量，也不能將這個潮流堵住呵！我們對此祇有歡欣，只有慶祝，只有希望……因爲現在是新中國偉大的文學的開始期.

作者這一首長詩，很無疑地，是革命文學運動中的一個很重要的禮物.在內容方面，不消說是革命浪潮中的產物，完全表現出現代中國革命的情景，牠的意義是不會消滅的.就是在形式方面說，雖然不能說有什麼偉大的成功，但却不能說不是中國詩壇上的稀有的創作.固然，這首詩與布洛克的十二個相比，當然相差得很遠，——十二個不但在意義方面是偉大的，就是在技巧方面，牠那種音韻的自然與活躍，也爲世界文學的絕唱.中國語的不完全當然很有關係，我們不能夠向作者加以苛求.我們只有希望作者順着這條路兒走去…………

我對於這首詩,不願多有所話說.作者現在還是在繼續的努力着,不但在詩的方面,而且寫了許多小說,更努力於批評.我想,他的成就還是在於他的將來,這首詩不過證明我們對於他的將來應抱着偉大的希望罷了.

華希里

一九二八,五,一八.

# 第　一　篇

"四周圍都是火火火，
把鎗上的皮帶背妥:'
——勃拉克:
十二個——

狂風暴雨,

經過這寬闊的街衢.

那紅布的,那白布的,

那用繩穿掛在街心的,

那一切這樣的標語:

'左右翼合作到底!'

啊,全都撕掉了!

啊,全都拉掉了!

街心是這般的靜悄悄.
看不見往日的那般熱鬧.
幾個爛醉如泥的影子,
裹着遍身的口號,
東倒西歪的在街上喊叫.

他們蹌蹌踉踉的來,
他們蹌蹌踉踉的去,
他們沈醉在高傲的歡呼裏……

一個影子擦身而過,
警告飛到他們的手裏.
'咦!咦!同志們……
怎麼這裏還有左翼?'

全市的居民如遇虎狼,

幾個爛醉如泥的影子褁着遍身
的口號東倒西歪的在街上喊叫

一家家的店鋪把門關上.
——打倒喲,打倒……
沈醉的影子在狂喊,狂喊.
——三個月內看我們恢復政權!
左翼的呼聲響徹雲天。

這是什麼?這是什麼?——
'委員會,七月十三.'
….流遍中原的是左翼的血….
….祗要太陽晒到的地方….
….那兒沒有我們的足跡….

怎麼這樣大胆?
不怕訓令,不怕宣言,
不怕不要工農的宏論;
難道說——
也不怕這糾糾的武士,

這明幌幌的刺刀，
這機關槍，這追擊砲！

誰不知工農的勇敢？
在槍聲裏——
我們過起幾次空前的 Boudon。
在槍聲裏——
我們有過十九個月的大罷工。
在槍聲裏——
工農幫助了革命的成功。
檢閱工農的力量喲，
——眞足自雄！

影子在街頭歡樂，
死去的領袖在天上痛哭。
勞苦的工農被拋棄了，
什麽主義也不要了。

幾十年的艱苦奮鬥，
祇是養成了這些新式的劊子手．

領袖變成他們的傀儡．
主義變成他們的護符．
民衆得着些什麽呢？——
自由也沒有，幸福也沒有．

左翼眞是怪物，
這樣的急進．
拋棄了高官不做，
底的爲着革命．
他們祇知犧牲，祇知奮鬥，
在血花裏馳騁．

汽車駕着偉人滿街跑，

豪紳又都昂起頭來了.
久不乘的黑包車,
又被拂去了灰塵,
格郎郎,格郎郎,
飛在馬路上有如天人.

格郎郎,格郎郎,
我們信仰領袖先生。
格郎郎,格郎郎,
革命的利益要各階級平均.
格郎郎,格郎郎,
我們相信領袖的言論.
格郎郎,格郎郎,
我們努力革命!

一個婦人眞是傷心
——什麼左,什麼右…

····什麼鬥爭，什麼革命····

····彼此都是一家人····

····天喲，假使有一個皇帝啊····

····我們何致這樣的不安甯····

# 第 二 篇

"我們煽動世界的大火，

血中的世界的大火!".

——勃拉克:

十二個——

天氣沈悶，
五層樓上一點風兒都沒有.
謠言如一隻瘋狗，
在各處亂叫亂走⋯

在強烈的電燈光下，
貼着許多彩色的標語.
下面有多少頭顱，

蒲扇,拖鞋,赤膊,
有的輕輕誦讀:

'擁護左翼的主張!'
'左右翼合作到底!'
'擁護領袖遺留政策!'
'反工農就是叛逆!'

紙色眞是豔麗,
臉色全是驚異.
來了背皮帶的軍人,
立住,怒目而四視……

撕~~~撕~~~撕~~~
彩紙落得滿地.
走~~~走~~~走~~~

來了背皮帶的軍人
立住怒目而四覷

革履在上面踏了過去.

祇餘下一個工人的憤怒:
——看你撕!看你撕….
….看你有多少力氣….
….看誰得最後的勝利….

兩個青年在暗角裏,
他們在討論:
主義….人生….
我們應走的路徑?

——一個同志說:
眞正革命的要左傾.
——一個同志說:
右邊是我們的大本營.
——一個同志說:

眞革命的走向中間去.
——啊,啊,
到底那條是我們的路徑?

空氣眞是沉悶,
又是一種人聲.
工會已被鐵桶般圍住,
武裝同志在那裏捉人.

鐵柵已經拉緊,
空隙祇容--個人出進.
守衞的兩個士兵,
他們在喃喃說甚?

——工人們眞是够種!
——他們是不怕死的英雄!
——昨天,工人和我們對仗!

——今晚,馬車夫又在罷工!
——媽媽的,眞是英勇!

柵前又飛過汽車一輛,
兵丁們都向他行禮.
裏面的將軍微微點頭,
小鬍子露出殘忍的笑意.

什麼人?這是什麼人?
頂大頂大的將軍.
主張不合作的是他,
主張屠殺的也是他.

他是什麼都不怕,
主義是他的奠脚石,
政府放在他的口袋裏.
便是那全國有名的….

也不敢惹起他的脾氣.

嘻嘻嘻…嚇嚇…闊哉…
他眞是威風無比.
許多人望着那車塵,
不知那乘車有多少魔力.

一排排,一排排,
日本兵,英國兵,
荷槍實彈,
在租界——
他們的國土裏——橫行.
好威風喲,
你帝國主義者的狗…

好多的情人,
一對對,手攙手,

在租界的江邊閒行.
他們眼裏什麼都看不見,
擁抱,接吻,擁抱,接吻,
這就是他們的世界,
這就是他們的人生.

啊啊,你墮落的人!
啊啊,你墮落的青年人!
你們的血液,
是不是已凝結成冰?
你們究竟要到那一天喲,
纔能覺醒…

樹陰下——
一個鬍子吃驚.
幌動同行的老人,
指着剛過去的黑影:

——喂！看……
……左翼的首領……

是工人在輕輕地演講，
拳頭不住的向着空中伸張。
聽衆憤怒，揮汗，
紅頭將軍跑來開趕。

爛醉如泥的影子，
正在俱樂部的樓上，
擁抱着嬌豔的女郎。
忽然，右角牌聲一響：
——靑一色，紅中開槓！

夜深的電燈光更外明亮。
撕去了的標語，
又不知被誰用新的補上。

啊，工人們眞是勇敢！
起來喲，起來喲，
來向他們禮讚……

# 第 三 篇

二個人並不祈禱

向遠處行走，

準備犧牲一切，

一點兒也不回顧。”

——勃拉克：

十二個——

十字街頭的牆上，
貼着戒嚴的通告。
一個長方的朱印：
'右翼戒嚴司令.'

這條眞是要緊：
'不准開會，不准遊行！'
假使要違犯喲，

格—殺—勿—論!

綑子縛來了幾個工人,
有的肩上搭了一幅藍巾.
四圍都是軍警,
包着他們前進.

啊,前進,前進!
弟兄們!弟兄們!
在槍彈之中從容前進.

啊啊,不甯的情緒.
啊啊,慌亂的市民.
啊啊.搖動的人心.

一個平民,
攢進了人羣:

——我們的領袖跑了,
…昨天黃昏…

惱怒了一個將軍,
拿出槍來,
向這平民對準:
——該殺的…
…你這造謠的人…

是的,該殺的祗有平民,
陞官發財的盡是將軍,
這個世界總有一天沈淪.

倉皇來的一個士兵,
向着將軍致敬:
——局署已經被圍…
…無數無數的工人…

——將軍！將軍！

——傳令！傳令！

——怎麼辦？怎麼辦？

——調兵！調兵！

將軍飛也似的馳去，

有如江心的怒濤.

局署早已解圍，

門前祇有——

兩個哭哭啼啼的婦人了.

——老爺！怎麼得了⋯⋯

⋯⋯誰用這一張軍票⋯⋯

⋯⋯我的上好的白米喲⋯⋯

⋯⋯被這裏的弟兄們搶進去了⋯⋯

——一張軍票拿到街上····
····哎呀！祗抵得一毛····
····一担菜祗値一毛麼····
····將軍，叫弟兄們還我罷····
····我已經被打一頓了····

又惹起將軍的怒惱：
——混蛋，怕不怕槍····
····要是男子漢····
(他指着街心的標語)
····你看········你看····

車夫正坐在踏脚板上，
在對着手裏的軍票發癡.
兩個婦人走過去：
——你家，請問····
····那布上是什麼話語？

街心又揚起許多標語了:
'不用軍票的就是反革命!'
然而,有什麼用處呢?
商人們都努力的關門.

….兩個月不吃油了….
….要買麼?乘火車,二百里外….
….雞蛋糕什麼價,那裏買….
….先生,要托熟人,一元一塊….

將軍,忠實的同志們,
帶着槍彈去逼商店開門.
——將軍,並非我們不肯….
….我們拿這票子到那兒去辦貨….
….那有不怕死的商人….
….開市,殺死我們也不能….

眞不如住在圍城裏，
士兵們多麼兇橫。
舉起刺刀要換錢.
——老爺，我造也造不出……
……祇有一條命……

滿城的哭哭啼啼，
滿街的喊喊嘶嘶.
都市上能看見什麼呢?
武裝袋，老虎皮，
軍用票，指揮刀……

在這個世界上喲，
人民眞是不了!
在這個世界上喲，
一切權力屬於槍砲!

啊，又捕來幾個青年人，
據說他們都是反革命.
逮捕者都是槍彈在手；
那被捕者——
他們從容的，從容的
在槍彈中緩緩的向前走。

忽然的一聲怒吼.
劈—劈—拍—拍，
飛將軍來自天上麼?——
一隊武裝的工人，
把被捕的兇手們搶走.

啊啊，搶走，搶走.
同志們！前進，前進.
到槍頭上去奪取自由.

# 第 四 篇

"舊世界好像這隻癩皮狗，
你也走開些，我要來打破你。"
——勃拉克：
十二個——

一輛高大的汽車,
上面四個巨人.
手中握着了手槍,
在馬路上狂飆般突進.

同志,昨夜電影院裏,
散宣言的是不是你們?
同志,昨夜書貼標語,

## 反抗警察拉撕的是不是你們?

啊啊,人聲,車聲,馬聲,
這火光眞是怕人.
滿街的警笛齊鳴,
士兵們一隊隊的前進.

啊,火光漸漸的大了,
人聲是恁般嘈雜.
宣言有如胡蝶.
聽啦!——聽啦!
是什麽又在爆裂?

…是炸彈罷——拍拍….
…是槍聲罷——嗚嗚….
….聽….機關槍開了….
….咦!還有迫擊砲….

喊聲漸漸的高了:
——殺!殺!殺喲,殺!
——左翼成功萬歲!
——殺死你這些惡鬼!

眞怕人啊,眞怕人啊.
同志!現在是不是恐怖時代?
你們是不是在殺人放火?
你們是不是喲,
在做着偉大的藝術工作?

不要問罷.不要問罷!
——哎呀!哎呀!
聽啦!——聽啦;
——拍……!拍……!拍……!

潮水似的人湧來了.
四面的火光微弱下去.
狂喊的聲音更是激烈:
——殺喲,殺喲,殺喲!

天上暗黑了,
看!多少人向這邊狂奔.
一陣陣,一陣陣
都是被捕的嗎?
每人手上綑着一根繩.

滿眼的血肉狼藉,
烟氣還有些撲鼻.
啊,聽,槍聲,又是槍聲,
那四個巨人——
又已在火光裏就擒.

被捕的英雄——工人，
臉色一點兒不變，
他們怒目前進！

啊，前進喲，前進喲，
啊 前進，前進，
我們的窮苦的弟兄們。

——十個，百個，一千人⋯
啊啊，那來這麽多的反革命？
是不是 Baudon 失敗了呢？
看，又捕來了工人農民和學生。

鈇鈇踏，鈇鈇踏．
——解到戒嚴司令部．
鈇鈇踏，鈇鈇踏．

——讓我們走上十字架去.

司令部牽出一隊人,
——一五,一十,十六個.
這計數的吃人的惡魔!
——假使我不是被捕者啊····
····一隻槍打死你個也麼哥···

砰!砰!砰!
又是犧牲!
——左翼成功萬歲!
——左翼成功萬歲!
響到天上去了喲,
這十六個英雄的最後喊聲.

死者的血映到天上了.
觀衆們也都散了.

死者的衣履，
也做了執刑人的報酬了.
多麼好聽的名辭啊:
….爲民衆，爲自由….

看守所有了歌聲，
一千多個已經被捕的人.
沒有恐懼，沒有憂鬱，
祇有快樂，祇有歡欣，
祇有大無畏的精神.

死喲——革命!
死喲——革命!
死喲——革命!

——我們工運怎麼做呢?將軍….
….工人眞正肯犧牲….

….我們一定要自衛….
….我們保全生命要緊….

到處都在捕人，
到處都是歡欣。
砰！砰！砰！
劈！湼！拍！
血花又在飛迸….

'血裏播種，淚裏收獲'
在敵人面前不要顫慄。，(註)
弟兄們，弟兄們！
犧牲，犧牲，犧牲，
爲多數的人們去請命！

——怎麼得了，怎麼得了….
死三個了….

····政府門前還有兩名被人殺掉····

——糟糕!糟糕!啊,糟糕····
····抓也抓不了,殺也殺不了····
····眞正的數不清喲····
····軍政機關裏還不知有多少····

——哎呀!我看那個女郎喲,
····我眞是魄散魂消····
····這些反革命耗去我許多的時間····
····眞正可惱——可惱····

將軍祇是抓頭,
槍手跟着武裝帶子走.
急急的來,急急的去,
彷彿工人的槍頭,
已經對準了他們的背後.

* * * *

太陽露出了光星，

烏雲已慢慢的退盡.

夜色被血花燒完，

第二次的 Baudon

就將跟着光明之神來臨.

弟兄們！弟兄們！

前進！前進！前進！

弟兄們！弟兄們！

前進！前進！前進！

註：

見顯克微茲你往何處去

（一九二七，七——八月作）

（於楊子江上游的一個大城中）

太陽已露出了光星烏雲已慢
慢褪盡夜色被血花燒完了

# 後　記

這是一篇記事詩．是一個繫於獄中的靑年所寫．他被捕以後，由他的朋友把這稿寄了來．因爲那時，我正擔任一個日刋的編輯．時間是九月初．

他是一個童工．聽說他的年齡很靑，很歡喜作詩．這一篇完全是在他入獄前社會的政治的紛亂複雜的現象表演．我們欲了解這詩的背景，非有萬言，也不能說盡，沒有一行不是事實,沒有一節無有根據.在意義方面,是很重要的一篇史詩.祇是技巧不純熟.我想這不要緊.每一種文藝運動的初期,都有這種現象.他的姓名,現在却無從知道.

已是很久的話了.我因着事冗,以及漂泊流浪,迄無定止,這詩也就在我的行篋中擱了許多時。直到最近,棲止在一個鄉村裏,纔得着空閒,改定了一番.原詩句子冗長,寫法和'七字唱,'完全相似,别字很多,分量比較改定稿超過六七倍.

這詩經我改定以後,又經華希里改動了幾處.又從勃拉克的十二個裏摘錄了一些斷句,寫在每篇的卷頭。因爲這詩的作風,有些和十二個相似。又請迅雷畫了幾幅插畫.我爲這不認識的青年盡力,祇能做到這個地步.

重行寫定以後,又有無限傷感.不知道我們的作者是否安然如故.我想到這裏,我眞忍不住的戰慄.我能說什麼呢?祇有希望他平平安安的活着.出得獄來,再繼續的做一個有力的戰士.

啊,你青年的詩人,在這裏,我虔誠的爲你祝福.

錢杏邨

一九二七,一〇,三一。拓濶山

中華民國十七年七月出版

書 名 暴風雨的前夜

作 者 錢 杏 邨

發行者 趙 南 公

總發行所上海泰東圖書局



全書一册定價大洋三角

外埠函購 郵費加一

印數1—2000册

# 餓人與饑鷹

錢杏邨　著

現代書局（上海）一九二八年九月一日出版。
原書三十二開。

餓人與飢鷹
錢杏邨作
上海
現代書局印行
1928

# 餓人與饑鷹

錢杏邨著

上海現代書局印行
1928

一九二八年九月一日出版

1——1200冊



每冊實價大洋三角

上海現代書局發行

# 餓人與饑鷹

# 目　次

饑　饉

# 自　　序

這兩卷詩代表了我的兩個時代。前一卷大部是在極困窘時寫定的，其間多經濟苦悶的號叫。後一卷則係逃亡途中所成，大半是失敗後的悲憤心情的表演。

我自己作詩有一個絕對的信念。我反對做句子。這詩集的技巧固然不完善，但都是寫的而不是做的。語句沒有經過雕琢。都是在情緒極奔迸時隨手寫下的。從這集子裏，我證實了自己的主張沒有失敗。

刪存的這一部分，在我個人當然比較的認爲滿意了。然而有些地方，仍有修改的必要的。爲做保存原來的意思，終於沒有更動。這祇有希望讀者側重於全詩核心的把握。這在我，是一種試驗，是經不起逐字逐句推敲的。

假使讀者能從這詩集裏提到破產的小有產者的經濟的苦悶情緒，和離亂時代人民的悲哀，和失敗的黨人的憤激心理，那我的希望就算完成了。這一部詩，還不是以羣衆爲對象而寫定，我沒有什麼特殊的希冀的。

錢杏邨

七，一〇，一九二八。

# 餓　人

# WILHELM TELL

—讀 Schilder 的 Wilhelm Tell 以後—

## 一

弟兄們聽者——

雪峯下，豺狼在作威，
三邦裏，虎豹在奔馳；
他們摧毀了我們的安寧，
壓迫着我們的義憤！
我們祖先遺留的國土，
豈真個任叛徒永久蹂躪？
我們的快樂與自由，
並不輕於我們的生命！
誰個忍看他們的子孫，
寄生在叛徒的胯下；
我們要忘却一切的懼怕，
使雪峯的光明發揚偉大！

結合我們的兄弟，
寧死不為奴隸！
毀壞叛徒的權勢，
奪回我們的土地！
為民衆，為自由，
為着光明而戰！

二

弟兄們聽者——
不要壓抑我們熱血的沸騰，
不要壓抑我們淚珠的奔湧；
權威折不了三邦的民衆，
我們要洗滌奴隸的恥辱！
將血還給我們的祖先，
用淚來犁我們的故園；
趕走這些可怕的叛徒，
呼喚我們的自由歸來！
我們的血液都是一個源泉，
三邦的人民都是一個祖先；
快快的狂飆似的興起，
「容忍」不是人間的正義！

結合我們的兄弟，
寧死不爲奴隸！
毀壞叛徒的權勢，
奪回我們的土地！
爲民衆，爲自由，
爲着光明而戰！

三

弟兄們聽者——
誰願在叛徒的衣冠前下拜？
誰願看自由在叛徒的脚前毀壞？
我們來到明星下盟誓，
我們永久的擁護吾人的權利！
我們不是那無知的禽獸，
禽獸猶知向着侵害者抗鬥；
讓已死的自由生出新綠，
讓我們回到新空氣中生活！
再不要有什麽遲疑，
勇猛的走上最高的雪峯；
拿叛徒塗地的肝腦祭旗，

我們敲起全世界的血鐘！

結合我們的兄弟，
甯死不爲奴隸！
毀壞叛徒的權勢，
奪回我們的土地！
爲民衆，爲自由，
爲着光明而戰！

一九二七，二，九。

# 一　夜

房間如此的黑沉沉，
天空黯淡到沒有一顆星，
在這靜默的午夜喲，
我是又要長夜的失眠了！
這時，空間沒有一點兒聲音，
誰還想到地球依然在作工
許久，我也看不出一點光亮，
祇無數的村犬在狺狺狂吠！
唉！如此的漫漫夜長，
我究竟要怎樣纔能將它挨過
我若不憂愁多思，
這時也在做着快樂之夢！
好難挨的茫茫長夜喲，
祇有聽聽鐘聲，聽聽錶聲，
聽聽自己的呼吸，檢查自己的脈跳咧！
人間那般的寗靜，
我也是默默的無言，

然而，我心煩燥啊，
雖是酷寒的天氣，
我真想將所有的衣被擲在地上！
這些可怕的遮掩的東西留着究竟何爲？
難不成穿蓋了的眞是人類？
我心眞焦燥啊，
我是終夜的失眠！
生活的愁思撼動了我，
使我思索，使我忘却疲倦！
唉！這是我的墮落嗎？
假使我有固定的生涯，
假使我和孩兒們不致餓死，
我是可以甜密的安睡，
何致夢兒也受着經濟的支配？
但我總不相信經濟能完成人生，
總不相信有工作能力的人應該餓死，
總不相信那些吃人血的富兒們，………
我要在這茫茫的長夜，
將人生的意義一追尋！
天色依然是黯淡得可怕，
鐘聲也敲了四下，

## 一 夜　7

一夜的失眠眞使我懼怕，
我們在社會裏何啻牛馬？
犬吠聲是漸漸的稀了，
空間送來一次與長的雞聲。
雞喲，你可愛的喲，
你住在那個鄉村？
你的聲音在深夜裏怎麼這樣動人？
你的合拍的音調，
眞使我得到無限的快樂；
我聽到你的聲音，
彷彿聽得人間歡笑，
我知道光明的早晨快要來到
這時的人間眞靜得可怕，
水筆觸紙的聲音都很清朗
啊，鐘喲，你又敲了五響！
我的思慮漸漸的平了，
睫皮上襲來了一些疲乏，
然而，我終是失眠喲，
把鐘兒聽聽，呼吸聽聽，
靜聽着雞鳴的音調，
分析的考察着犬之吠聲。

這是曙光要來到的時候了，
茅屋裏的工人們已在咳嗽，
他們又要去做那建築地獄的工程。
我疲乏了，心裏有些兒發慌，
爲什麼還看不見一點天光？
唉！究竟，什麼是人生的究竟？
叫得更起勁的鷄啲，
現在，經濟就是人生，
經濟造成了睡眠，
經濟造成了一切的夢境，
經濟造成了全世界的畸形的人生！
聽，聽，地球依然在轉，
茫茫的大地上是死一般的沉靜，
那兒有一點人的聲音？
啊，啊，經濟毀壞了人生，
人類的精神都爲生活耗盡，
那裏有狂飆突進的文明！
假使人類都能發展個性，
不爲衣食住的尋求糾纏一生，
那現在的進步纔是驚人！
那我們早就乘着火車來往地球火星，

早就能挾着機翅自由的上下飛騰，
早就增高了出產，絕跡了貧困！
是誰毀壞了我們天馬般進步的文明？
現在，我們都在黑暗中掙扎，生存，
沒有文明！沒有文明！
犬聲更稀了，雞聲愈密了，
我的手冷如冰，心兒是忐忑不定；
來到喲，來到喲，我渴望着的光明！

一九二七，二，七。
上午三點至五點鐘。

# 著作家

唉！上帝！使一家嗷嗷的，
全靠着我一枝筆，
偏生我又一行都不能寫
——E. NESBIT.

一

文章是賣不出錢來的，
我又將沉沉的病了，
債主更緊緊的逼着我們——
孩子！不要向着我們笑罷，
（你們不是好久沒有看見耗子跑嗎？）
你們父母的心已將燒成灰了！

二

孩子！買米都沒有錢，
那裏還說得上做新衣？
做工的，穿一生布衣，

在這個世界上已是難事啊！
你們羨慕富家的孩子罷，
你們的父母不會做強盜啦！

三

孩子！假使你們能看見
我們腹中的淚珠兒，
恐怕你們也再不願笑了！
孩子！天真的笑誰能忍心拒絕呢？
債主的腳似乎已經跨上
我家的門限了啊！

四

假使你們的母親有手飾可換，
我們也不致於這樣的急了；
假使我們有衣服可賣，
我們也可過一次快活的節日！
祇有幾卷破爛的書，
沒有人肯買啦……！
那一個有錢的不穿華衣，
拿着白幌幌的銀子買舊書呢？

五

少爺小姐們是有錢過節的、
有錢有地的老爺們也是快樂的，
做工的人是個個沒有飯吃！
你們是工人的孩子喲、
你們是沒有飯吃的工人的孩子喇！
富兒們的錢本是我們工人的，
孩子！你們快快的長大，
和我們一同去殺出生路罷！

六

孩子！有飯吃已經是要笑出淚來了，
那裏有錢買好吃的東西過節？
我們何嘗不想多多的買？……
然而，我們要做「人」啦！
孩子！我們忍受着苦罷，
到眞沒有法子可想的時候，
就抱在一起活活的餓死罷：
我們不望你們和他們一同做強盜，
我們也沒有打臉的勇氣啊！

七

喂！孩子！痛苦的箭還沒有向你們射，
在目前，你們還是儘量的笑笑罷！
喂！孩子！你們永不要羨慕着富兒，
你們去找幾個窮孩子做朋友罷！
喂！孩子！來，給我們吻一下，
拿你們的笑靨來調劑我們暫時的饑渴罷！
喂！孩子！我們的心已將燒成灰了！……

一九二六，六，一一夜·

# 「血鐘響了！」

血鐘響了！
響聲裏飛迸出無限的火花！
飛過了亞細亞，飛過了歐羅巴！
衝到了西馬拉亞的最高山峯！
燃燒了殘忍而暴戾的營壘！
血鐘響了，響了！………
看哪！全世界充滿了火光，
火光中露出了「光明」的面龐！

血鐘響了！
這無限的火光要將世界燃燒！
它要燒盡羅馬教皇的陵寢！
它要燒盡中國帝王的皇陵！
它要燒盡所有的貴族宮殿！
它要燒盡富兒們所有的屋宇田園！

舊世界已到了毀滅的時候了！

人們都要來受最後的審判！
聽哪！血鐘響了！……
聽哪！血鐘響了！……
世界已佈滿了火光，
火光中露出「光明」的面龐！

血鐘響了！
無限的火花四向飛迸！
看哪！在火光中毀滅了妬嫉與殘忍！
看哪！在火光中覆沒了軍閥和大兵！
看哪！在火光中燒死了吃人的富兒們！
看哪！一切的罪惡都燃燒淨盡！
「光明」從火光中露出面龐！
世界上祗有美麗與和平！
聽哪！血鐘響了！響了！……
我們來，我們來攜着手兒
慶祝這世界的更生！

一九二五，五，二一。

# 『我在風塵中憔悴了』

——寄 偉 俠——

偉俠，別二年了！
花牌樓前的痛飲還能追憶。
當流浪的你的信件投到我的眼前時，
我眞個掩抑不住心田的跳動。
你依然留滯寧垣，將靈谷的丹楓看飽，
並懷念到久別音問的我。
有什麼可以告慰你呢？——
朋友，我在風塵中憔悴了。

偉俠，別二年了！
我知道你如飄流的燕子。
浪漫的我被鎖在狹的籠裏，
我的不快，你曾否爲我想到？
我祇有對你的自由欣羨了。
鐵索綑綁着我，生活束縛着我，
一切一切的監督着我，我沒有當年的自由了。

雖竭力的掙脫，結果祇做了浪漫的夢。
有什麼可以告慰你呢？——
朋友，我在風塵中憔悴了！

1925，11，2.

## 道旁的屍骸

春的陽光晒着大道中的
一具男子的屍骸；
屍骸上毀着一張蘆席。
多少人在這路上來往，
多少人都木然無感；——
祇有兩旁住屋裏的人
不時的伸出頭來探望；
祇有蒼蠅吸着他的血肉，
嗡嗡的哭着爲他發喪。

破爛的褲子還穿在他的身上，
夜半裏從他身上剝去褂子穿的朋友
想這時正在街坊上閒逛；
朋友，您心裏不必有什麽不安，
世界上的事本來這樣！
您看，這黧黑的肉色，
這死亡者的橫陳惡態，

（這猜不透的人生之謎，）
何曾給予他們些微的印象？

啊，屍骸，世界上多的是慈善機關，
但慈善的本體和罪惡並無二樣；
若不是您死在夾道人家的門前，
蘆蓆也不會飛來爲您遮陽！
啊，屍骸，您爲什麼一聲不響？
您的昨日的活躍的生命何往！
您的美麗的，不曾實現的夢境何往？
啊，您的逝水般的一生喲，
一具半裸的屍體橫陳在大道上！

1926，7，4．

# 記 言

——贈印度行商——

『你知道太戈爾(TAGORE)麼?』
『他是我們國裏的名人。』
『你知道甘地(GAODHI)麼?』
『他是我們的偉大的領袖。』

『我希望印度能早日恢復自由。』
『祇要被壓迫的民族能彼此攜手。』
『印度曾放射它偉大的哲學的光芒。』
『——與中國同爲東方哲學的故鄉。』

『朋友,你的英語怎麼這樣的嫻熟?』
『我被迫受過八年的英國教育。』
『他們待遇你們究竟怎樣?』
『和吃人不吐血的惡魔一般!』
『可愛喲,你們印度的商人!』
『唉!先生!現在是到處飄零!』

『然而，總不像呵………你們是大夢已醒!』

『——誰知道何年何月纔得做自由的商人!』

1926，5月初稿。

# 給 倜 凡

到江陰去訪友，在天通庵站候車，驟見明星影畫像一，和今春在棲霞山站所見的一樣。喚起了傷感的回憶，上車後，便寫成此詩，呈倜凡和當時同遊的朋友們。

棲霞站有一幅下額酷似你的畫像，
那時，我們同遊者都交相的將你調笑；
今朝，我又見同樣的一幅掛在這個站頭，
當時的歡悅早飛燕般的輕輕逝了！

數月而已，我們已東西飄流，
今朝啊，我孤獨的在這裏漫遊；
如幻夢的過去，永無追尋的自由，
祇有懷念着罷，——
誰知此生有無再見的時候？

一九二六，一，一四，夜，上海

# 十一月十二夜

我的心在焦燥萬分，
彷彿有一口心血要向外直噴，
寒風裏，我失魄似的歸來，
眼眶裏的淚珠，眞是忍而又忍！

現在，壓着我的，是經濟的困窘；
綑着我的，是精神的苦悶；
伴着我的，是富兒們建築的慾城，
繞着我啊，都是弟兄們痛哭的聲音。

蕭蕭的落葉帶來了一片愁聲，
誰個眞能了解我飄泊的心情？
過去罷，徘徊而彷徨的心性！
藏起熱淚來，去尋找我們的敵人！

一九三六，一一，一二，上海。

# 譯詩一首

這世界將來總要屬於我們勞働者，
雖然現在沒有得穿，沒有得住，沒有得吃！
你看，我們有健全的身體，我們生活在光明裏：
我們有健全的身體，是在太陽光下練成的；
我們有偉大的腕力，是神聖的勞働賜與的；
我們一年要產生許多出品，養活那些殺人的！
勞働者的光明快要來到了，我們齊起心來，
也不給他們吃，也不給他們穿，也不給他們住，
讓他們生生的餓死在這個世界上！

我要告白勞働者的光明請君看一看：
在黑暗的夜裏，是誰供給全世界以強烈的火光？
是誰辛勤工作，供給全人類的屋宇，衣服，和食糧？
是誰創造了鬱鬱的森林，美麗的村莊？……
世界上，有沒有一個人不受我們勞働者的供養？
那裏有什麼創造之神，創造之神便是我們勞働者，
我們創造了世界，創造了文化，創造了人類需要的

## 譯詩一首

　一切在這個世界上！
我們的偉大眞與那太陽，月亮，山川，和風雨一
　樣！

我們勞働者的光明比一切都偉大，
有錢的，有勢的，我們現在一個也不怕！
他們接受了我們的供養，他們又要忘恩負義，
他們忘却了誰是他們的主宰，誰是養活他們的！
我們現在是沒得吃，沒得住，沒得穿，
我們所有的都被他們攫奪了去！
同他們永講不了恩義，我們勞働者已經興起，
斷絕對於他們的一切供給，奪回所有的從他們手
　裏，
因為勞働者最光明，這個世界是我們創造的

一九二[illegible]。

# 題雨當軒集後[1]

——呈黃仲則先生之靈——

太陽每日依然的走過太白樓頭，
却沒了你白恰少年之影；[2]
我也曾踏遍了青山之麓，
看何處是你的偉大的坟塋？[3]

我回想太白墓前，
你曾經放聲痛哭；
傾洩着心田的悲憤，
斜陽裏，你獨自的躑躅。

你縱是笑語樵牧，
終掩不了你無限的酸苦；[4]
社會壓迫天才，
誰說不是永久如故？
憤悶逼着太白至於死亡，
遺恨猶纏住他的形骸沉江；

你卄五獨病河東，5
淒涼何嘗不和他當年一樣？

那時你的衣裳爲醫藥質盡，
你爲房主所逼離開燕京；
榻前堆滿着零星殘稿，
伴着你的，僅有一盞孤燈。

我想你在病榻呻吟，
是你的形骸載不住憂悶；
但看你手不能書，畫之以指，6
已足令人動魄而驚心。

可憐你瘦削的指頭，
畫不出你深深的內心；
社會無情，竟大刀闊斧的
殺死了我們的偉大的詩人！
唉！社會是永久的沉淪！
唉！社會是永久的不幸！
那裏有什麼同情，
遠遠的全是些譏刺的聲音！

說什麼『一生常寄想難寄』，[7]
說什麼『多少英雄末路人』，[8]
仲則，『九月秋風』豈僅你，[9]
我而今也是滿腔的憂憤：

我在歌詠人類被綑𦈡的眞性，
我在歌詠掃除世界的血腥；
去追尋活躍的生命，
爲着自由，我願以身殉！

我屢次遭遇社會的欺淩，
總是暗暗的將熱淚偸彈；
我們雖是被社會犧牲的人，
我終信有一朝能衝破黑暗！

何必徒在太白墓前狂喊：
仲則，『當日有君無著處，
卽今遺蹟猶相思』，[10]
今日於你，我也作這般想！

我幾次的悲歌當哭，
想到陽湖一慟你不死的英靈；11
今日和淚抒着苦悶，
又何曾寫出我的憂憤心情?

一九二六，五，八。

註：1，黃仲則，清人，著有兩當軒集。太白衣冠墓在當塗青山。詩的風格與太白很相似。

2，參看洪亮吉作先生行狀，附兩當軒集後。

3，仲則太白樓詩有云：笑看斜陽語樵牧，死當葬我茲山麓。

4，見第三註。

5，先生卅五病死河東。

6，見洪亮吉與畢侍郎書，附集後。

7、8、9、10，皆仲則詩句。

11，仲則葬陽湖。

## 再題兩當軒集後

——呈黃仲則先生之靈——

去年亡命海上，
想去陽湖一弔詩魂；
那時已窮至乞食，
幾次的不能成行！

今日，再讀幽怨的遺詩，
掀起我流浪時的悲憤；
何時能償展墓之願？——
且在這寒風雪夜，再哭先生：

現在我是無米爲炊，孩兒又病，
妻衣百結，好友和我一樣的困窮；
雖曾孜孜的讀書十年，
無如詩歌不値一文，詩歌不値一文！

也思檢衣典當。

當典又因兵燹停頓；
忍聽孩兒們啼飢號寒，
先生，這何嘗是我的本心？

我的無限窮愁病困，
能向誰個說陳？
先生，除去寫作抒情，
祗有朗讀你的詩文！

祗有你給我以無限的同情，
祗有你了解窮人的心境；
你始終的保持着偉大的個性，
我願永遠的崇拜先生！

我不願寄語羲和，長此痛飲，(一)
我要努力的向社會報復，
要和窮苦的人們一同去革命！
先生，除去此點，我一切和你同情！

我們是彼此的流離困窘，
我們是同樣的遵崇自由與個性；

我們同是寄[illegible]社會逼死，
我們是不願犧牲一點天眞。

先生，羈羇是不能成行，
這詩稿我再獻給你的英靈；
假使你願俯聽，你願俯聽，
我請陳述一件事當做尾聲：

我愛讀先生的詩文，
我想買一部可靠的板本；
市儈將名著當做古董，
每一本向我索價一金。

不下十次，我徘徊在那門前，
每次路過，總要看一看那個書籤；
我自知沒有購得的希望，——
我那時眞是窮到沒有衣可典！

先生，這是不是你的哀怨？
文人的心血竟讓市儈去騙錢，
唉！我就是徹夜的悲歌，

也不能排遣掉苦悶一點!……

今日,展讀幽怨的遺詩,
掀起我流浪時的悲憤;
誰個肯聽我的哀音?
祗有寒風雪夜,再哭先生。

一九二七,一,一七・

註一:

仲則詩:浩浩來日愁如海,寄語羲和快著鞭・

# 詩一首

白十字布的長衫，胸中織着一對紅線的鴛鴦，
暈紅的雙頰，宛若玫瑰之絢爛；
坐在我的身旁，幾次的唇吻翕張，
她好像有什麼心事要和我細細的談講。

這使我回憶到一幅不朽的畫像，
彷彿Holiday的Beatrice再遇Dante一樣，
無限的力的流睇，微笑，呼吸，和髮香，
振蕩，直振蕩到我的深深的心房。

1926，5，28。

題寄軍中

# 黃 昏

茅屋前映着太陽的餘霞，
在田間工作的人們都已還家。
到處飛揚着晚炊時的縷縷白烟，
有的農人們閒坐在門前談天。

工作本是一切快樂的根源，
這情景喲，怎不叫人艷羨？
一幅Millet的晚禱已現在眼前，
和平與快樂的色調眞是糢糊一片。

一九二七，一，一九·

# 一生

黑暗的空間裏先畫出一片雞聲，
茅屋裏便映出些螢火似的燈光；
有的獨語哀怨，如在唱着薤露，
他們從這時便要走進工場！

他們在那裏工作到天色昏暗，
從巨大烟突的狂吼裏踉蹌歸來；
沒有健康，沒有愉快，沒有悲哀，
他們的一生喲，便這樣的毀壞！

一九二七，一，二九，上午五時．

# 「勞働者」

讀小川未明無產階級者，至「勞働到氣窮力盡時，就倒下去死了罷」一語，心裡受了很大感動，根據小川未明氏之意，雜參己見，寫成此篇。

勞働者，
到氣窮力盡時，
你就向前倒下去死了罷！
你對於這個世界究竟有什麼留戀？
光明也沒有，幸福也沒有，
輾轉生活着如一個被判死刑的罪囚，
如跟在資產階級後面乞食的狗。
一生中，受着鞭撻，聽着惡罵，
不敢說疲勞，不敢說饑餓，
祇如被駕的牛兒在田裏做着工，
做到天色昏暗，做到自己死亡，
終竟是無家飄流，
　為人類，究竟得着什麼報酬？

不到死時，不得休息，
不到死時，腰也不能伸直，
一生看不見快樂的影子，
這個世界，於勞働者，祗是地獄！
勞働者，
對於這個世界究竟有什麼留戀？
到氣窮力盡時，
你就向前倒下去死了罷！

一九二七，一，三一。

# 給——

你窈窕的姑娘，
你怎麼憔悴到這樣?
兩道欲笑的眉毛，
現在是微微的蹙了；
一對活潑的眼睛，
也是異常的遲鈍；
你是不是在病着貧血?
兩頰已沒有當年豐潤。
你娉娜的身軀喲，
更沒有當年的輕盈；
笑態雖是沒有變更，
却也沒有當年的天眞。
姑娘，我眞是永不能忘:
你初來見時的羞澀，
客邸中你的沉毅，
在劇場裏並坐的嫵媚。……
姑娘，我眞有些傷感，

從此，我再見不着你處女的微笑，
再看不到你閃電似的流睇，
永看不到你的——
唉！你的青春的美麗。
一切的幻影都輕輕的逝了。
逝去如那天空的流星！………，

一九二七，二，一一。

# 雕　　刻

絲瓜瓤在肥人身上跳舞，
擦背的孩子因工作汗流如雨；
他肢體瘦弱，疲乏到氣喘唇白，
肥人却被震動得沉沉欲睡。

我不懂平民藝術的雕塑，
埋沒了這一幅具有世界性的傑作；
那肢體的直屈，那震動的筋肉，
那疲乏的精神，那臉部顯出的悲哀的人生……

一九二七，二，一二。

# 饑　鷹

# 小王村留別天任

朋友，你能收容我們逃亡的人，
我們已是萬分的感謝了，
又何必這樣的殷勤款待？
我們現在有如喪家之犬，
將完成的工作被暴力毀壞了！
我們的內心眞如撲燈蛾，
我們想與事業俱盡了！
爲着我們的事業，
我們現在眞是焦燥萬分呵，
那有心腸來體味你的盛宴？
這肥碩的白母雞你留着抱蛋罷，
這美味的醃肉讓老伯母留着喝酒罷，
灰色的鴿子，白色的鴿子，
在我們的心中，現在是不覺得有趣了，
屋後的小溪，溪旁的垂柳，
我們也不覺得有絲毫的詩意了。
每天看着你的孩子牧牛去，

我們也沒有鼓勵他的勇氣了！
我們更忘記感謝你夫人的殷勤，
我們忘記了飲食，忘記了一切了！
自然，我們是很感謝你們的厚意的，
然而怎麼能提起我們的興趣呢？——
我們被顛覆的世界還沒有恢復喲！
噯！天地雖大，現在變做我們的囚牢了，
宇宙萬象，在我們看來，祇是一片血跡了；
我們的重大責任還沒有盡，
囚牢沒有衝破，血跡沒有洗滌，
仇人還在做着墮落的快樂之夢，
這裏不是我們的久居之地，
我們怎能提起潛伏着的歡欣呢？
我們明天還要去趕路呵，
路程走不盡的時候，我們是停不住的；
願望沒有達到的時候，我們的心終竟是不安的。
祇有謝謝你的殷勤款待呵！
等到我們成功的時候，
再來這裏痛飲一番罷！
現在，我們有的，祇是不寧的心緒，
祇是鬱鬱的愁懷。

我們無法接受你的盛意呵，

朋友，我們祗有謝謝你！………

·一九二七，四，二五，裕溪·

# 四月二十三夜

我欲登山悲歌，
茫茫黑夜，正是豺狼得意的時候；
我欲往前村漫遊，
兇惡的村犬又向我狺狺狂吠。
無限的悲思一齊湧上心頭，
明月又遲遲的不出，
我祗有靜靜的睡在稻場上數數星斗。
過去的血的工作，淚的工作，
現在是一起付與東流；
前途雖終是我們的勝利，
也得一思索目前究竟怎樣走？
許多的朋友已被收在監獄；
許多的朋友皇皇如喪家之犬，
和我一般的過着逃亡生活，在東西奔走。
噯！究竟那一天我們可以成功？
那裏是我們的歸宿？
我終不相信野狐能永久勝利，

我終不相信我們工作有什麼懈怠，
祗怪民衆還沒有全部覺醒，
實力還是槍砲的！
被收在監獄裏的友朋們喲，
我們現在沒有成功，犧牲是我們的意義，
人間那裏有什麼公理？
逃亡者，我們也不必有什麼悲傷，
革命者的結果，在目前當然是這樣！
可是，陣陣的山風，黯淡的星斗，
又觸起我的另一種悲感。
我恨不能將過去的羞辱全部埋葬，
使我的理智能以控制我的情感，
毀滅我數年來的苦悶的中心思想。
我終竟沒有這種力量，
我祗能聽其自然，
我有什麼方法可想？——
支配我的，是人間感情的力量，
哀憐我罷，朋友們，請恕我的浪漫！……
兩小時黑夜曠野的靜坐，
我的思潮真如狂濤駭浪，
我的眼淚是暗暗的偸彈！

我眞不能向後細想，
祇希望天眞永不被鑿喪！
謝謝你在寒風中送我以歸路的亮光，
謝謝你勸我歸來，逼我歸來的厚意，
苦悶整個的綑綁我的身體，
朋友，我祇能送你這首詩表示我的謝意！

一九二七，四，二三夜于夏閣，

## 夜

我現在是身心交病，身心俱悴，
怕看床前如豆的一綫燈光。
我彷彿走進了鬼蜮，
環繞我的空氣都包含着死亡！
雖然狂風有如虎吼，
鎮夜間何曾聽得一聲犬吠？
靜默着擁衾流淚，
中心裏如滿貯着沸油。
啊，現在，現在是那容回想？——
豺狼佔據了我們的山崗，
弄得我們全家東西離散，
事業變成了狂風一場！
什麼時候是我們歸去的日子，
什麼時候是我們復仇的時候，
假使我的身體能支持長久，
不殺仇人的頭顱我誓不休！
徹夜的狂風喲，

我要看一看故鄉的狀況；
我要看一看豺狼怎樣擾亂我們的村莊•
我現在是身心俱碎，
請將我颺上向南的山崗；
徹夜的狂風喲，
帶我去一看月下的故鄉！

一九二七，四，二七，病中。

## 一個逃荒的老人

一個逃荒的老人，
他的肌膚被太陽晒成醬色了；
除去全脫的頂蓋，
鬢髮儉直和白雪一般。
他說原籍是河南襄城，
去年流浪到了江南；
他不知故鄉又有烽火，
他正努力的趕向故鄉……
老人說時是瑩瑩欲淚，
我的心也不禁淒然；
我想跪到地上將他安慰，
我恨無力給他個棲息的地方。
除去敬他一杯白水，——
唉！我也是窮無所歸！
你飄流的老人喲，
我也是忙碌的燕子，
我和你終究是一樣啊！

去年你由北而南，
今年我由南而北，
你喝下這一杯白水罷，
誰知道什麼時候可以再晤呢？
我們同是一樣的可憐啊，
痛苦的流浪在人海裏，
啊，我們或將老死在風塵裏！

一九二七，五，八，雙河．

## 洪山寨看日出

南北兩高峯看日出的機會失了！
俗峯看日出的機會也失了！
現在我們逃亡到了洪山，
我們決定到寨頂上看一回日出了！
這時候天有點明亮，
隱約間還聽得隆隆的砲聲；
曉露真重，潤濕了我們的足和衣，
樹枝又常常的拂着我們的衣袂。

我們想像太陽要起來了，
我們一氣的跑到山腰；
萬竹叢中的九龍庵我們也不稍留；
哦！太陽已過了孕育的時期了！
這時太陽露出了一半，
一個半圓的赤色的火球；
可惜我身無飛翼，
，啊我眞想在它的邊緣上走走！

它又從蚤赤變成杏黃，
彷彿一個面如滿月的少年；
戴着嫩黃的冠冕，
每邊一束紫色的纓鬚，
下面飛着一片灰色的雲彩，
四周的羣山，都無言的
伏在它的足前展拜。

這時，濃霧蓋遍了東方的大地，
我誤認他是茫茫一片的巢湖，
遠遠的砲聲又起，
我竟將飛鳥誤爲飛機；
狂風搖着羣樹，
更如離亂人語；
逃亡者的中心喲，
眞是無時無地忘却了恐懼……

太陽這時更明亮了，
他已是嫩黃的顏色了；
土黃色的雲彩包圍了它。

微紫色的雲彩包圍了它，
這時的太陽的光輪是閃眼了，
最下是土色的雲，
如那冬天凍鳥了的美女的焦脣……

哦！太陽！你東方的光明，
你已經含着羞漸漸的升起！
你安慰了逃亡者的身心，
你的光輝照遍了大地；
呵，我對你眞是無限歡欣，
我對你眞是不辭勞悴，
我要將手伸向天邊，
我要密密的吻你，
永久的密密的擁抱你……

太陽是更高了，
世界是更明亮了，
它的光芒也刺入了，
我們猛力的向上爬；
土色的雲彩更多了，
黃色的雲彩也更多了，

我們在光明裏發現了大道，
不似上山時一路的陡險了！
我真是歡樂喲，
再上沒有狹險的小道了！

我向太陽靜靜的看，
太陽上彷彿披了一件黑衣；
太陽的光更強烈了，
却依舊是明亮亮的。
邊近的色彩是漸漸的分不清了，
稍遠處依然是黃的，
再下去依然是灰的；
風聲是蕭蕭的了，
遍體陡然起了涼爽的感覺。

我們又走上一程了，
我們檢直不敢正眼看太陽了，
嫩黃的圓輪更大了，
遠村的霧潮也化去了，
身上有些兒寒冷，
我們忘記了額上有汗了，

忘記了我們是逃亡的人了，
昨天在途中採得的花片，
還是嬌艷的戴在帽簷上；
四圍的山峯上都有了陽光了！

我們再踏着枯葉向上去，
欣賞西方佛爾山的烟浪；
山峯上的露水依舊很重，
太陽也漸漸的高起來了。
我們低低的吟着詩歌，
看着射在身上的陽光，
我們的影子倒在麥田上。
這時砲聲是更稀了，
雖有時還認四山的草木是兵馬，
但四週的村野已看得很清爽了！

哦！我們到了寨的峯了，
四面的萬山如浪般湧來了！
他們是來朝拜我們。
我們這時座在殘碑上，
撫摩着青青的綠苔；

太陽晒到身上有些熱了，
它的光明的萬道飛霞射着大地！
我們歡喜得什麽似的！
哦！砲聲是再聽不到了，
我取下帽花擲向太陽。
哦！我的太陽之神喲，
我請將這花擲向你，
讓她粧成你的嬌艷！

一九二七，五，一〇，洪山寨.

## 我們逃亡的人

我們逃亡的人眞是不幸，
不知那兒能容我們稍留！
初逃在裕溪的鄉村，
那時奉魯軍正攻下和州；
又爲敵人秘密的偵悉，
背着夜月逃到夏閣。
我們剛剛的安定，
剛剛的拂去衣上的征塵；
我們眞是不幸，
奉魯軍又攻下了柘皋。
我們於是三逃，
逃到隔湖的張鎮：
又來了六安潰退的大軍，
說奉魯的馬隊又奪去了他們的守城。
我們此即連夜的逃到霍山，
因爲乘勝追擊是事之當然。
沿途七十里的鄉村，

我們看不見一個農人；
除去守戶的老人，稚子，
他們的門戶眞個是無人支持！
我們也曾問一問是何原因，
都說是怕拉夫入山已深！
又接着可怕的消息，
說奉魯的前鋒逼近了靑山；
圍城是頃刻的事，
我們意亂心慌，眞不知怎辦！………
噫！可憐我們逃亡的人，
可憐我們離亂時代的人民；
筋疲力竭時仍不得休息，
再拖起疲乏的身軀前進！
我們前進逃到爛泥坳，
又報到城內的我軍已經退了。
於是，我們又匆匆就道，
一氣的逃到黃粟杪。
噫！我們眞不能向前行了，
我們眞是萬分的疲倦了！
我們離亂時代的逃亡人喲，
眞是萬分的不幸！

一家人四方離散，
客居時也不得平安；
前途是渺渺茫茫，
還不知要爬過千山萬山，
我們眞是時刻不安，
誰知此後還要感受幾許艱難？
我們終竟是可憐的喲，
又在離亂時代逃亡！………

一九二七，一四，試粟抄·

# 黄粟杪逢堅一

我正欲辭別黄粟杪而去，
適逢你自前方戰敗歸來；
我們先是無限的歡喜，
霎時間，又從歡喜轉爲傷悲。

你精神大弱，身無長物，
我風塵僕僕，顛沛流離；
謝你在離亂中問到我家，
我現在也不知是分成三下四下！

一九二七，一五，申舖。

# 沙　　河

北方有許多沙河，
河水是十分的清淺；
裏面也有小魚，
也有叢生的水草。

行路的人總是赤足過去，
都覺得十分有趣；
彷彿行在渺茫的沙漠，
又如在沙漠上發現了綠洲。

我最愛在裏面行走，
行時的水聲宛如音樂；
假如你是心熱口渴，
你不妨用雙手捧起飲啜……

我曾在水中謳歌，
拍拍的水聲如在和我；

每一次都要臨流濯足，
眞是說不盡的快樂。

有時騎驢過去，
那水聲就如午夜急雨；
有時水上映着驢影，
那眞是詩的意境………

你慣在北方行路的君子，
沙河給了你什麼印象？
它給了我無限的慰安，
我眞是永不能忘！

一九二七，五，一七，黃門均，

## 五月二十七夜

已經是夜深了，
月華還沒有消息；
天上祇有幾點疏疏的星光，
江上祇有幾點紅色的燈光。

浩蕩的揚子江是當前了，
崔顥的詩也浮上記憶了，
但是，我的沉默的影子，
却向我冷冷的譏笑。

到江上去尋一葉歸舟罷，
然而，我不能歸去呵，
我現在已經是逃亡的人了，
祇有在寒風裏做着「故鄉夢」！

我眞是說不出的孤寂，
彷彿一個旅客默對着他的影子，

雖然身旁也有好友，
雖然隔岸是萬家燈火，
雖然革命的羣衆在四週狂喊，
雖然光明照遍了全城………

我眞想歸去，
從這裏順流而下；
這是很顯然的呵；
那個燕子不飛回北方？
那個遊子不懷念故鄉？………

我的白髮的老父喲，
你在燈下追念着遊子罷！
我的終身的侶伴喲，
我想你這時定在掩被哭泣！
這又有什麼法子呢？——
「在那十字架上轉側呻吟着的，
本是滿身血汚的有道理的人」！(一)

我的孩子們喲，
「天生我們作革命黨」(二)

你們果眞懷念我，
你們快快的長大來革命罷；
死亡算做什麼呢？——
努力的去追尋生命的意義！

微風拂着我和影，
天上祇有幾點疏疏的星光；
鄉愁是在黃鶴樓頭引起了，
但這不是革命者眞實的悲哀；
這一切的思念呵，
都讓揚子江流帶了回去罷；
光明已經佈滿全城了，
我祇合在火花裏生活呵！

一九二七，五，二七夜，武昌

註一：據HEINE詩意。

註一：用時人語。

# 父 親

昏暗中，我孤獨的走上黃鶴樓去，
塔畔站着一個白鬚的老人；
他的輪廓模糊不清，
我以爲是我的父親。

我的心眞是忡忡，
我以爲是我的父親來了；
幾次的想去喊他一聲，
幾次的趦趄不敢前進。

我的父親呵，
不知他現在流浪到了何方；
我今天爲念他而發狂，
他這時又何嘗不也在追念着遠方的遊子？

一九二七，五，二八，武昌

# 留 別

——呈周遠大張少春兩兄——

當年皖江聚首我為主，
誰料到今日我也鄂渚小住？
在此四遷，剛剛將征塵拂去，
我竟又要在這烏風黑暴裏
別離你們揚帆而去！
天空是洒遍了愁風愁雨，
我便題盡這長湖的翠荷呵，
也寫不盡我黯然的愁緒！
我們同是天涯飄泊，
任何地方也不能容我們足塵久駐，
總是聚晤一次，歡樂一場，
別罷一回，傷心一番！
我們是到處的流浪——
到處都變成我們的家園，
到處都變成我們的故鄉；
唉！我們再不必把什麼「主」「客」來講，
飄泊者本和天上的流雲一樣！

啊！不必愁惱，也不必悲傷，
來日方長，人間偉大，
將來總還有我們歡聚的地方！
別了，朋友們，不必悲傷，
光明的將來喲，
還要我們努力去開創！
朋友們！不必悲傷，不必悲傷，
我們且忍住這別離的眼淚，
向着我們的敵人去鬥抗！
去了！去了！我的朋友們喲，
謝謝你們一切的愛護，
待到明年秋風起時，
或許我們又是在一起痛飲，歡唱，
朋友們喲，不必悲傷，不必悲傷………

一九二七，二，二六於武昌．

# 荒土

錢杏邨　著

泰東圖書局（上海）一九二九年一月出版，
一九二九年四月再版。原書五十開。

荒土
錢杏邨著
上海泰東圖書局印行
1929

# 荒　土

錢杏邨作

上海泰東圖書局發行

1929

# 荒　土

# 自序詩

去吧，你不健全的個人的情緒，
去吧，你殘餘的靡靡的綺語。
我要追尋未來的新生之路，
且把你這死去的遺骸埋入荒土。

讓過去的遺骸從此在我心中死亡，
當前的祇有羣衆的歌唱。
再不要拾起那些畸形的印象，
無上的題材祇有血的火山。

你敬愛的尊貴的讀者喲，
新的生命已經放出了它的光芒；

我們同去開拓這無限的寶藏罷，

請不要誤入歧途，和我往日一般。

一九二八，六，末日。上海。

# 寫給一個朋友

朋友，這一夕話纔使我醒悟了，

知道你所住的是一座改良的囚牢。

往日我以爲你是自由翺翔的飛鳥；

現在更認識了改良的人物都是些毒梟。

他們承受的社會的毒汁早已浸入了骨髓，

粉飾的浮面內藏着原先的毒坯；

朋友，快離開這座囚籠，莫再徘徊，
改良主義本是人間最可怕的惡鬼。
他們說不上什麼徹底的革命，
從他們能得到的至多是一點口頭的同情。
他們祇能欺騙那些懦弱的渴望自由的人民，
祇是拿着自由的口號圖謀個人的上進。
朋友，你也不必悲憤，不必悲憤，
這樣的環境正足以磨鍊我們的堅忍。
我們不是妥協崇拜的奴性的賤人，
無間斷的爲着多數人抗鬥才是我們的精神。
我們祇有打斷對於這粉飾自由人物的希望，
爲未來的世界創造一個偉大的新的生

命。

朋友，莫要徘徊，快離開這座愁城，

我們要勇敢的努力的前進，前進，

把這可怕的改良主義的統治打成碎紛。

一九二八，五，一四夜。

# 述　　懷

道旁有許多嬉戲的兒郎，

這又觸起我心緒的悵惘。

我也有三個活潑的稚兒，

不知是否還在門前喧嚷。

假使我如往年的居在家鄉，

這時定攜着他們在田間遙看新月的升上。

假使我如往年的能自由回到故鄉，

他們一定是環繞着我在話短說長。

他們的語言雖都不周全，

不連續的名辭把意義却表現得異常明顯。

而今，便是這樣的生涯，也無法追尋，

我是已成了一個流落異鄉的浪人。

今宵，道旁的兒郎又搖震了我的心旌，

我眞是思念他們不盡，思念他們不盡。

流浪者的悲哀，最怕愁思的襲侵，

你可愛的道旁的兒郎喲，

假使你們眞是人類的兒童呵，請讓我在你們的天眞頰上一吻——

我要借你們的歡愉來殺一殺我苦悶的心！

May 28 1928夜

# 夜　　雨

——呈時雨——

還是打開嚴閉的窗櫺

來痛快的一聽這

須知隔住夢

也

他們是日日的在繫念遊子的身心。

在故鄉,有我久別的妻子、

她也在日日的盼我能以歸甯。

我的兒郎喲,有的已過了學齡,

想到他們在這資本世界裏的前

白色的壓迫是減不了我們對於革命的信心。

你這時更密的雨聲，更密的雨聲，

是不是要進一步的激起我們的革命的熱情？

啊，我想到我這漂泊的靈魂，

我是恨不能即時血濺仇讎，碎身如粉。

我的血液是在全身奔騰顫震，

這時睡在床上也不能安定。

雖覆體的僅是薄薄的布衾，

竟使我感到無限的熱燥與煩悶。

我猛然的將這薄衾丟擲，

透入的春風又使我感到微微的寒冷。

這究是怎樣的心境，

爲什麼往往的不能入眠在夜深？

啊，夜雨，你這迷人的夜雨，

我而今已變成了乞食的文人。
你的聲音爲什麼愈來愈緊？
我起身臨窗來抒寫我的苦悶，
你的雨點是頻頻的灑上我的稿紙，
你的雨點是頻頻的灑上我半裸的身。
何曾消去一點沉鬱的火焰，
我的內心仍如一座火山在噴。
唉，我而今已變成一個乞食的文人，
祇有嘔出的心血伴着我身的孤另，
每天向我默默含情的也祇有燈下的獨影，
我是一無所有了，除去熱烈的革命的精神。
啊，夜雨，你這迷人的夜雨，
你是在仇視羇旅，還是有意挑釁？
你逼得我不能安眠在這夜深人靜

你逼得我的熱淚不能再忍。
啊，夜雨，你這迷人的夜雨，
我已聽到潤濕的鄰舍的鷄聲。
你看我這燈光也漸漸的使我感到陰沉，
寒風還在透入推開的窗櫺。
噫，我的血液是愈寫愈奔騰，
我的筆是愈寫愈遲鈍，
我的僵直的身軀也是愈寫愈冰冷。
喉，夜雨，你這迷人的夜雨，
我覆身的線毯已為你濕盡，
我讓你痛擊我的全身，
我終竟要將這一夜的詩歌完成，
我們終竟要在黑暗裏為着多數人鬥爭，
什麼家庭，什麼故鄉，這都是革命者病態的不健全的習性。
啊，夜雨，你這迷人的夜雨，

你看，天已微微的放出魚肚色的光明。

我雖然澈夜不眠，頭昏目眩，兩頰炙熱如病，

我是無限的無限的歡欣。

啊，夜雨，你這迷人的夜雨，

你不妨更緊一陣兩陣，

嚴密的雨點是阻不了我們的旅程。

天光已漸漸的亮了，

我們的世界總有一日在我們無間斷的鬥爭中來臨。

一九二八，五，一三夜四時至五時作成。

# 聽　雨

這時候已是夜闌更深，
我悽切的閒聽窗外之雨聲。
鄰近的人們都已睡靜，
祇我飄泊的靈魂在獨對熒熒的青燈。

我把淅瀝的雨聲細聽。
它激動了我孤寂的心情。
眞如一片辭別故枝的落葉，
在輕寒裏我感到身世之淒零。

我本是病後的吟軀，
而況在這深宵無人對語？

樓頭也有一個獨居的少婦，
但我祇能在這斗室裏慢踱，
她是不會來和我談到天曙。

聽雨，聽雨，唉，祇有聽雨。
唉，聽雨，聽雨，我祇能一直聽到天曙。
那豔麗的少婦也自獨擁着羅衾，
誰知她那薄薄的羅衾裏，
是否和我一樣的難溫？——
唉，這一夜的歸夢又是難成，
你聽！窗外的雨聲更逼緊了幾分。……

3，7，1928夜二時。

# 囚　　徒

——寄懷時雨並壘獄中諸友——

往日每當天曙的時晨，
我們總是公園中漫步細語；
今朝我却僕僕的在這龍華道上，
帶着憤激的心情來探望你這個囚徒。

白煙如今雖說這樣的迷漫，
我是沒有些微的感傷；
卽使你死在這恐怖之下吧，
我想我的心也不會怎樣的震撼。

我們的四週本都是妖氛重重，

獄內獄外究有什麼異同?
我們要用赤血染得地球紅,
縲絏的生涯早在意料之中。

我是毫不覺得悲痛,
只想在你死前多多探望幾番;
若是我死在成功之後喲,
當把無產者的歡笑獻上你的祭壇。

一九二八,五,二。龍華。

# 歸　　來

——紀念時雨的出獄——

我聽到他已歸來，
不知是如何的歡喜。
我想和他突然的相見，
輕輕的走上了樓梯。

輕輕的走上了樓梯，
誰知他已聽到我的足音；
送來一聲親密的呼喚，
我不知是歡喜還是心驚。

他和入獄前是一樣的精神，

但他的面顏已憔悴幾分。
失却了一切的想說的話語，
我把他的雙手握得緊緊。

他的兩眼也迸出無限的歡欣，
他站在那裏微微的出神，
我們默默的無言的對立的間中，
各個的內心湧起了無邊的洪濤波動，

無邊的洪濤在各個心中波動，
我們眞彷彿是隔世重逢。
這樣的重逢已不止一遭，
每一回總不免突突的心跳。

我聽到他已歸來，
我不知是如何的歡喜。

我想和他突然的相見，

今朝，我又輕輕的走上了樓梯。

一九二八，五，五。上海。

# 三題"兩當軒集"後

——讀題兩當軒集後——

重讀兩年前哀悼仲則的詩篇，
我是忍不住的向着自己嘲笑，
不知那時的思想何以這樣的幼稚，
不知那時的性格何以那樣的脆弱……

我而今是翻然的悔悟，
悔悟沒有把握到仲則精神的內裏；
雖然我依舊的迷戀着他的詩歌，
但這迷戀已不是當初的意義。

我而今所看到的仲則，

他的詩歌是具有他自己的光輝；
這光輝是不為過去的任何詩人所有，
深切的，深切的具着現代的意味。

他依舊是一個偉大的歌者，
他歌唱着經濟苦悶的喊叫；
從他的悲苦的悽吟的間中，
表現了破產的智識階級是怎樣的潦倒。

他便是這樣人物的象徵，
他的詩歌內藏着現代的苦悶；
請問在古往的詩人之中，
有誰個寫了這樣的人類共通的悲憤？

我悔悟當初對於仲則的誤解，
我沒有認識他是怎樣的一個戰士；

縱是寫定的評傳被焚，

我也終於沒有一句悔辭……

5，16，1928

附註:

1.題兩當軒集後見拙著餓人與饑鷹。

曾作黃仲則評傳一部於1927政變時被

人焚去。

# 飛　屍

雖在這樣強烈的電燈光下，
我看不到些微的閃耀的光明；
千千萬萬的活屍在來往走動，
他們何曾吐出一點人的聲音？
我眞如中了無數的毒箭，
心田已被火焰燒成灰燼；
你惡魔似的飛輪喲，
請在交馳的道上把我碾成碎粉！

一九二八，二，二〇

# 夜　　雨

虛偽的笑顏，
掩不了我心中的酸苦；
快意的音樂，
再也提不起我的歡愉；
來自內心的淚水，
還讓牠流向內心去；
理不清的憂思呵，
我能向誰個陳訴？

今朝這淒風苦雨，
在細梳着我紛亂的愁緒；
今宵是百感交集，
墨黑的天色象徵了我的前途；

鄉思雖增加了我的悲痛，
終不是我重心的悽楚；
我似冰的歡腸呵，
今朝眞個是痛得忍受不住！

窗外的迷人的細雨，
室內的浪人的情趣，
凭欄細聽着鄰家的笑語，
我又滴不盡鮫人的淚珠；
漂泊的流浪的我的靈魂，
祇有在室內踱來踱去；
唉，我眞忍不住這獨夜的悲涼呵，
我縱想放情的一哭，
可憐我的喉兒又被悽咽哽住。

1928，1，22，除夕

# 詩　人

——讀"新的露西"以後——

你沉醉在幻夢裏的詩人喲，
你曾否聽得葉賢林的哀吟？
我們是再不需要你的歌唱了，
你在這時代已經成了一個廢人。

你不要再驕傲着你有恁多的詩篇，
你的詩篇而今是不值一錢；
你不要再驕傲着你過往的聲名，
那早已變成了一陣過眼的烟雲。

我們需要的詩篇已不是風花雪月，
我們有的是革命的情緒，沸騰的熱血，

我們這裏再不需要嬌媚的黃鶯，
我們有的是鋼一般的鐵一般的喊聲！

你已經成了一塊永久的墓石，
作爲供人凭弔的過往的遺跡；
你祇曉得怎樣爲着你自己抒情，
你沒有聽到偉大的羣衆的喊聲。

我們的時代是驚濤駭浪；
我們的時代是暴雨狂風；
地球早被勞働者自己撼動，
你祇會閉戶歌唱，沉醉夢中。

你聽吧，葉賢林是在敲着你的噩夢，
他對着新的世界是具着歡欣；
凡是有的，凡是有的他都要領受，

將全身全心照着開闢的道路前行。

他覺悟誰個的眼對他都是陌生，
你爲甚如此的沉醉不醒?
難道你是有意的甘心墮落，
要做一個新時代的陳死人?

醒醒吧，醒醒吧，
新的露西巳露出他的面龐;
假使你再不醒悟呵，
你的前途也祗有死亡。

8，15，1928，

# 給——

我曾隔着街衢把她仔細的端詳
她正憑着臨街的樓欄下瞰。
微雨洒上她露臂的白綢的長衫，
我的眼首先投向她的粉白的面龐。

她轉過秀麗的面龐微微的遐想，
她眉宇間樸樸的清氣令人不能嚮往。
兩片醉人的櫻唇在有意無意的翕張，
她細膩的纖手幾回的抹着雲鬢。

這使我鈎起了一番過往的回想，
那正是一個美麗的春天的早上。
她裸足站在電話的機旁，

用着柔和的語言不知和誰個暢談。

我癡癡的癡癡的站在她的身畔，
暗暗的把我倆的高低細細較量。
我用眼光在她的全身來往巡視，
她裸露的白皙的雙足具有無限的美感，

我又不住的和她談笑，向她癡看，
她有點說不出的微微的羞慚；
至今她的黃鶯般的異國的音調，
還繼續的在沉醉我受創的心房。

她的臨別的微笑我是永不能忘，
每一次的回憶總如痛飲了一回酒漿。
她有時着了粉紅的輕衫，
我眞說不出那是雕塑還是絕美的畫像？

尤其是她那背着手時閒適的來往，
音樂般的輕緩，擺動她的身軀和衣衫。
假使我是個絕世的音樂的天才喲，
我定能因她的走動而製出人間的絕唱。

我現在又把她隔着街衢細細的偸看，
恨不能把她白淨的齒牙細吻一番。
我不能指出她那一點沒有充量的美感。
雖說和她的相戀終竟是幻夢一場。

唉，女郎，你可愛的異國的女郎，
你之於我眞如人間之於天上。
殘敗的人生還有什麽特殊的希望，
對你的謳歌便是我勝利的終場。

唆，女郎，你可愛的異國的女郎，

我對你是沒有什麼企圖與幻想。

你隻身萬里，我亡命異鄉，

不幸的際遇早已損害了我們的健康。……

六月二十四日。

# 往昔的故事

## 爲了窮困………"

他們爲什麼孜孜不倦的創作?

爲了窮困,爲了麵包,爲了肚皮的飢鳴。

那裏談得上有什麼藝術的衝動,

著作人的心情而今也是市儈的心情。

藝術早已變成了一種謀生的工具,

提起筆來誰都要預測着前途的銷路。

他們是一點也不値得驕傲,他們又何嘗

淸高，

天才是早被生活的苦痛損害完了。

呵,你對我的話不必有什麼訕笑，

他們創作的完成有幾許不是因着經濟的壓逼，

有幾回不是爲着飢餓的需要?

爲了窮困,爲了麵包,爲了肚皮的飢鳴，

你想他們在創作時是具有那一種的精神?

當前的有讀者味口的行情，有書賈指定的尺寸，

有盲目的譏刺和批評,還有當局的査禁。

你要自由的創作麼? 除非你生活於忘却現實的夢境，

除非你生活於忘却現實的夢境。

藝術是早已在經濟下斷絕了牠的生命。

著作人的自由也是被生活剝削 淨盡，

每一頁上祇是些經濟需求的血痕。
他們爲什麼在孜孜不倦的創作呢，
豈眞個爲着不朽的偉大的事業麼?
爲了窮困，爲了麵包，爲了肚皮的飢鳴。
爲了窮困，爲了麵包，爲了肚皮的飢鳴，

六月二十五日。

# 在 Cafe 中

這深夜溫暖的咖啡室中，
白幔是低低的低低的下垂。
幻想中有一個艶麗的少女，
在輕鬖的和我對飲了一杯。

這樣的美夢已永不能尋追，
當年她紅暈的雙頰又潮上心頭幾回。
今宵，我縱盡情的沉醉，
也祇有空虛的影子伴我同歸，
唉！永遠也祇有空虛的影子伴我同歸。

一九二八，四，一四日。

# 幻　影

我的幻影如一座雕像，
屹立在大道的邊旁。
她露着巧笑向我招引，
我瘋狂似的撲向她的胸襟。

我的心靈突兀的一震，
女神的雕像變了原型。
一個佩帶雙劍的武士，
高舉着殺敵的旗旌。

我再把心兒一一靜，
雕像又變成和藹的工人；

頭上披着漫長的血巾，

拿着他們的工具立在地球的核心。

忽然，他把工具向我飛擲，

我的魂靈如受深深的一刃；

忽然，又喪失了這幻影的雕像，

祇有無數的血旋在空間飛行。

一九二八，二，一七上午一時。

# 六月二十三夜

滿天的淒風苦雨，
我孤寂的在暗黑中走向前途；
我的心是無限的悽愴，
我的心是萬分的酸苦。

忘却了全身在被洒着霪雨，
懊惱着他爲什麼要獨自歸去？
我究竟有什麼開罪於他的地方，
他要這樣的挑動我的悲涼的情緒？

淚珠雨水在我面上交流，
霪雨飛洒，苦風在我頭上怒吼；

眼前的世界宛如一座墓邱，

我如灰暗的活屍在終宵的慢走。

六月二十四日。

# "朋友們,我和你們握手"

朋友們,我和你們握手,
我們同向光明走,
我們都是被壓迫的兄弟。

朋友們,我和你們握手,
我愛你們手的粗糙,
粗糙的手說明了勤勞。

朋友們,我和你們握手,
我要拒絕輭那如棉的柔荑;
他們是剝削我們的惡魔,
不是我們被壓迫的兄弟。

聽說不久有一個巨盜，
他總是先看被捕者的手是否粗糙。
假使不是細嫩的手啲：
他就要請他們痛飲一番，把他們放掉。

這巨盜眞不愧英豪，
可惜他的名字我沒有知道；
但我們需要的祇是事跡，
名字的認識是沒有什麼必要。

朋友們，我和你們握手，
粗糙的手掌快快的聯成一線，
我們要即刻撲向敵人的面前。

朋友們，我和你們握手，

我要舐乾你們手上的污穢，

把濫廢的柔荑埋成一個屍堆。

六月二十三夜。

# 往昔的故事

在昔有一個舞女，
她受了情郎的誤解。
他把她刼回營中，
給予她許多的虐待。

這時，愛他的心是漸漸的死亡，
淚珠終日的流在她的臉上。
她想盡千方百計把他憎恨，
但愛戀的心反在被鞭撻中增長。

幸而來了一個機緣，
這誤會一朝終能大白。

他便冒了無上的艱險，
把她從敵人的手中奪回。

啊，我現在告知你這個故事，
你也知究竟是什麼意義？
我固然不是那勇士般的情郎，
你却和這多情的舞女相彷。

請讓我再向你實行一回悔懺，
我的個性實在有些倔強；
我知道雖曾給予你多少精神上的虐待，
你總是這樣的溫柔，這樣的把我慰安。

啊，我告知你這個故事，
我是要懺悔在你的面前。
你的心我已是深深的了解，

也讓我重給你一個指環，當做誓言。

六月二十三夜。

# 屋　　脊

屋脊，屋脊，塡滿了空間的屋脊，
誰知這其間蘊藏了多少的淚血？
屋脊上更有無數無數的煙囪，
有的正微煙在霪雨之中。

上面有的是黯淡的天空，
工作者不斷的在大道中勞働。
馬路上的急雨竟成了淺流，
想熱血定和這一樣在他們心中洶湧。

也有一兩面旗幟在空中招展，
彷彿爲富兒的世界搖着葬鐘，

誰能找出富兒們的足跡?——
他們本就不適合於時代的暴雨狂風。

屋脊,屋脊,填滿了空間的屋脊,
下面流着勞働者交流的淚血。
他們不疲乏的奔波在霪雨之中,
爲的是要建設他們永久的旂幟。

六月二十三午。

# 窮　　人

——讀君翔的秋的月夜以後擬作——

壓抑一下罷，
你熱烈的感情；
從今後你再不要如火山飛迸，
熱情是溫不暖綺羅的女性。
我祇是一個窮人，
沒有地位，沒有黃金，
我將永得不着異性的歡情。

壓抑一下罷，
你熱烈的感情；
人間那裏有什麼眞愛，
祇不過在爭奪着美好的粧飾的上品。
我祇是一個窮人，
沒有地位，沒有黃金，
我是永不會擁抱芬芳馥郁的美人。

壓抑一下罷，
你熱烈的感情，
說什麼愛是人類的至神至聖，
祗黃金的翼下在孵育着愛情。
我祗是一個窮人，
沒有地位，沒有黃金，
從今後打破這熱戀的迷夢，
我將淒涼的孤獨的度過一生。

一九二八，一，二五。

# 壓　　迫

到壓迫的下面找道路去，
弟兄們，你不要退縮，不要徘徊；
勝利終歸屬於無產者所有，
祗要我們的精神始終不懈。

弟兄們，你不要憂慮這灰灰的天空，
在灰色的後面是蘊藏着沛然的大雨，
那便是我們所期待着的光明，
那便是我們所需要的清露。

我們不怕任何的高壓，
統治階級的實力是一無所有；
我們更不怕殘暴的屠殺，

光輝的明日便在這屠殺的後頭。

屠殺適足激發革命情緒的高漲，
楚刑鍛鍊了革命者的勇敢；
弟兄們，在革命還沒有成功的前夜，
監獄本是我們無產者的故鄉。

我們是决不退縮，决不徘徊，
我們是勇猛的向前毫不倦怠；
我們不需要平坦的旅途，
祗有壓迫的下面纔有道路。

五月二十五日。

# “燈　　塔”

——讀郭沫若燈塔以後——

往昔曾爲她寫過一部“燈塔”
不久就因政變遭了火刼；
但我是沒有絲毫的追悔，
留着這些花月的詩歌究竟何爲？

現在不是我們高談 Romance 的時候，
弟兄們，現在是天色已將破曉；
不必再眷戀這些靡靡的哀音，
我們需要的全是戰鬪的鼓號。

我們的燈塔應該是革命的信標，
綺麗的歌詞也得變成粗暴的喊叫；

我們要鼓動革命者的熱烈情緒，

我們要在詩壇上燃起無邊的火炬！………

5，18，1928

# 江　上

# 村　　居

四圍都是高牆，

電扇招不來一些清涼；

鎮日鎮夜的總是流着雨汗，

如同住在火爐裏一樣。

我們受不了都市的煤屑，

我們還是回到這可愛的鄉村，

這裏有醉人的湖水，
還裏有敬愛的弟兄……

這裏又有涼爽的風，
日夜親密的拂着我們；
雖在強烈的日光下，
身上也不見一粒的汗珠。

在這裏腦也再不昏沉，
環繞我們的盡是農人。
同居的窮苦的兄弟，
他們又是爽直而忠誠。

有時步着夜月，
在涼風裏檢看自己的濃影；
有時與鄉人漫話，

使我發現了人類的眞性；
除去秋虫偶一歌吟，
鄉村裏眞是淸靜

湖畔還有萬道燈光，
映水如同在游的金蛇；
四周雖沒有高山，
深灰的彩雲竟疊成補上。

穿着深秋的衣服，
在夜晚總還感受着輕寒。
和那經濟造成的都市相較喲，
又宛如地獄之於天堂。

你看，這滿垂金瓜的瓜架
我們可以睡在裏面讀書。

你看，在湖畔垂釣，絮語，
那是多麼的具有詩趣？
縱有可惡的蚊蟲來擾，
我們可以一一的薰去。……

我眞是愉快喲，
現在已經村居；
想到都市裏的車塵，
我眞有些畏懼。
歸來罷，可愛的弟兄們，
且到這兒來避一避酷暑。……

一九二七，六　九，武昌。

# 詩一首

人類的眼裏都已生出了翅膀，
他們是一個個的都在發狂。
把陷坑當做大道行走，
每個人的肩上揹着自已的靈柩。

他們把歡悅稱做浩歎，
說牛羊都可飛到天上；
恥笑着主張正義的人們，
尊崇那經濟製成的衣冠。

長了翅的眼睛那有眼淚？
他們流的全都是些鼻涕。

說人類又生了兩隻前蹄，
上下貴賤全看他們穿着的。

他們測量的天祇有一丈八尺高，
大地上，早被黃金舖滿了；
眞理的定律是要將黑白混淆，
他們說，明年的狗子也要有錢纔叫。

他們現在是一個個的瘋了，
左手執着錢袋，右手握着感情；
身上掛着嬉笑怒罵的面具，
揚起四蹄在軟紅塵裏飛奔。……

一九二七，二，四，夜。

# 壓　　榨

我是餓了，我是餓了，
我想壓榨幾首詩歌，
來換取一點麵包。
但可惡的孩子們喲，
却在我的身邊來往纏擾。
他們那知我的心在燃燒？
他們祗是向我傻笑。
他們是不曾夢見，
有一根飢餓的鞭子，
在痛抽着我的肝腦。
唉，我是餓了，我是餓了，
你天眞的孩子們喲，
請停一停你們的糾纏，

讓我來壓榨幾首歌詩。

呵，孩子們喲，孩子們喲，

爲什麼還要這樣的嘈叫呢?

難道你們沒有思想，

難道你們沒有意志?……

我眞的是餓了呵，

請你們拯救一回我的飢餓……

一九二八七月。

# 江　上

隔岸有燈火萬點，
入江如長流之金星。
雖不是潯陽夜泊，
竟飛來了絲絲的琵琶音韻。

鈎起我疊疊愁懷，
月兒也爲它暈了幾層。
你隔江的少女喲，
爲甚彈出這樣的悽切心情?

爲着秋怨，抑爲着懷春?
爲着失戀，抑咒詛人生?

誰不是靜靜的倦眠——
祇你是哀怨不勝。

你從初月直彈到夜深，
鼓得那寒風四起，
狂浪如萬蛇來集，
金星已不深長，
祇餘下昏黃的弱月。

琵琶的音韻忽然斷息，
我想像你在掩袖哭泣；
竟祇是徹夜悲彈，
姑娘，你究竟有什麼抑鬱？

我今夜是孤舟明月，
謝你琵琶完成我的悽惻；

姑娘，你縱多情，

可曾憶到江上有同情於你的

流浪的獨坐船頭的孤客？

我也是萬分的悲傷，

恨不能夜夜在這裏聽你淸彈；

姑娘，你縱如呑聲有聲的夏蟬，

我明朝，哦，明朝喲，

我不知又要流浪向何方？

尾聲

假使你同情於一切的悲憫者啊，

姑娘，請爲他們多製些苦悶的哀詞；

我是永不能忘這江上的琵琶了，

姑娘，請允許我獻給你這首歌詩。

一九二七，一〇，九，大通。

# "一條鞭痕"自序詩

這故事沒有什麽新奇，
也沒有多少的深奧意義；
寫的僅祇是抗鬥者的一辜，
人生又着上的一條鞭痕！

可是，詩人的命運我不悲憫，
祇歌頌那勇往直前的犧牲；
女性中能有幾個莎菲？
詩人，不過是暴力下生活的象徵！

他聰明的讀者喲，
我不是在爲詩人作傳；

表現昇華的革命的狂飆，

我是渴望着大無畏的英雄來到。

一九二七，一一，一五，蕪湖。

# 後　記

把今年以前的詩編成集子交了出去以後，自己以爲是不會再寫什麼詩歌的了。我覺得詩的情緒完全在我的心中消逝去。却想不到半年以來，竟又積下了許多首。這眞是當時所不曾夢想到的事。

現在加上前集佚去的幾首，稍稍的改動編定。重看一過，覺着仍然的沒有一點好處，在個人也沒有進展。小有產者的情緒瀰漫全集。純無產者的意識還沒有把握得住。這一切，又使我羞慚。

但是，我不願這樣的長此下去。此後我要盡量的克服，把這些不穩定的情緒摧毀。我終是個無產者呵。忘却羣衆的詩歌不要再作了。祇有羣衆是我們今後謳歌的對象，祇有工作是我們今後的題材。今後的詩歌是羣衆的，不是個人的。

所以，我把它題做"荒土"。

"To me this world's a dreary blank,
all hopes in life are gone and fled,
my high strung engrgies are sank,
and all my blissful hopes lie dead."

讀者們，一切的不健全的且讓它死去，現

在不是我們再寫 "all hopes in life are gone and fled" 的時候了。當前有火花的題材,當前有火山在爆烈,當前有許多値得我們尊崇的血。我們對着當前的光明,畢生也謳歌不盡。

畸形的製作,是到了被埋入『荒土』的時候了,不健全的東西在大時代的前面,祇有一條出路——死亡!

這小册子就是我的"荒土!"。

一九二七,六,三　夜記。

# 目　　次

寫給一個朋友

往昔的故事



江 上

目　次　　3

中華民國十八年一月出版

中華民國十八年四月再版

印數2001—4000冊

書 名　　荒　　土

著 者　　錢 杏 邨

發行者　　趙 南 公

總發行所上海泰東圖書局



全一冊

定價 大洋 三 角

外埠函購郵費加一

# 花木蘭文化事業有限公司聲明啓事

此次《民國文學珍稀文獻集成》出版，有賴各位作者家屬大力支持，慨然允贈版權，遂使這巨大的文化工程得以開展。本公司全體同仁在此向各位致以誠摯的謝意！

由於民國作者人數眾多，年代久遠且戰火頻繁，本公司傾全力尋找，遍訪各地，能夠找到的後人，得其親筆授權者，爲數甚寡。更多的情況是，因作者本人下落不明，連版權情況都無從知曉。

因此，本公司鄭重聲明：

此叢書所錄專著，凡有在版權期內而未授權者，作者家屬可與本公司聯繫，本公司願奉送相關贈書 50 冊爲報酬，補簽授權協議。

望家屬看到此通知後與本公司聯繫。聯繫信箱：hml@vip.163.com

花木蘭文化事業有限公司